Pen-blwydd Hapus

i

CYHOEDDIADAU'R
GAIR

Testun gwreiddiol:
Darluniau gan Gabriella Buckingham
Addasiad Cymraeg gan Delyth Wyn
Golygydd Cyffredinol: Aled Davies
Cyhoeddwyd yn wreiddiol gan Lion Publishing plc

ISBN 1 85994 425 6
Argraffwyd yn Singapore

Cyhoeddwyd gan:
Cyhoeddiadau'r Gair, Cyngor Ysgolion Sul Cymru,
Ysgol Addysg, PCB, Safle'r Normal,
Bangor, Gwynedd, LL57 2PX.

Blwyddyn union yn ôl roedd
dy fywyd newydd gychwyn
yn ein byd ni.

Erbyn hyn rwyt wedi tyfu'n gryf,
ac yn dipyn o gymeriad ...

a bellach
rwyt yn

1

Pen-blwydd hapus i ti,
Pen-blwydd hapus i ti,
Pen-blwydd hapus yn un oed,
Pen-blwydd hapus i ti.

Mae'n amser
dechrau cerdded,
gwthio a thynnu,
estyn a dringo!

Bydd yn ofalus,
Paid â thynnu
pethau i lawr.

Rwyt yn medru
chwarae drwm,
gyda llwy a sosban
Creu cân soniarus.
Dyna hwyl!
Beth am wneud sŵn!

Erbyn hyn rwyt yn bwyta'n dda
Brecwast, cinio, tê a swper.
Powlen a llwy
Dyna hwyl!
Beth am wneud llanast?

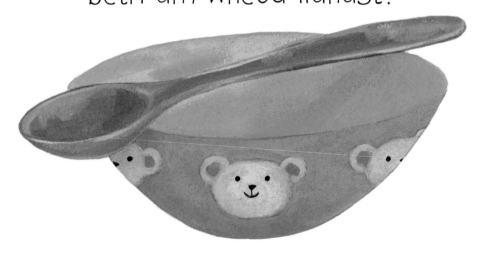

Mae bysedd yn hwyl
i flasu a bwyta,
Rhaid gwisgo bib
i gadw dillad yn lân.

Dyma fy ngheg

Dyma fy nhrwyn

Dyma fy nghlustiau

Dyma fy ngwallt

Cau dy lygaid yn dynn:
Lle mae pawb wedi mynd?

Agor dy lygaid.
Helo! Dyma ni!

Nawr rwyt ti'n l
rwyt yn dechrau dysgu am y
pethau sydd o'th gwmpas

ci

cath

pry genwair

aderyn a gwenynen

Rwyt yn dysgu geiriau

gwenu

chwifio

sy'n dweud beth rwyt yn ei wneud.

Rydym am i ti gofio'r

cerdded

cysgu

geiriau cyntaf i ni ddweud wrthyt ...

Ein bod

yn dy garu.

Pan fyddi wedi blino
cei fynd i'th wely
bach di,

closio gyda tedi
a swatio dan y
cynfasau.

Cofia bod Duw yn dy garu
ac yn gwylio drosot
bob amser.
Cysga'n dawel.